三日月書版

承九歌

御我 著
九月紫 繪

嘻嘻，我喜歡這個孩子。

到底是能有多遲鈍啊？這小子真的有……那隻眼嗎？

東皇說的，你不信？

一小子胡說又不是一次兩次。

正事上，東皇從不胡說。

。。。

姜子牙靜靜整理要上架的書，整間書店只有他一個人在。

老闆？對不起，九歌書局常常沒有這個人。

說也奇怪，這間書局就這麼靜靜開在路上，也沒做過什麼宣傳，但生意總是很不錯，除了下課時間和周末會有許多學生

和上班族，其他時間倒是也不至於空空蕩蕩。

姜子牙曾經去看過其他書局，早上和下午時段，那叫一個空閒，店員都比客人多，但是九歌來來去去總會有些人，都是些熟面孔，多半是老闆認識的人。

早上的客人是最少的，雖然除了周末，姜子牙並不常在早上來店裡，畢竟還得上學，今天是唯一早上沒課的一天。

看著空無一人的書店，姜子牙呆愣半晌，老闆的動作還真是越來越迅速了，他低頭翻看進書單，抬起頭來，整間店就剩下自己一個人。

看見時間逼近十點，可能快要有客人上門，姜子牙打了通電話給路揚，問問對方有沒有要來當免錢的工讀生。

「路揚，你今天有要過來一起看店嗎？」

「今天喔，傍晚看看吧，不一定能過去。」

姜子牙「喔」了一聲，也沒有多問，路揚這傢伙總是神神秘秘，平時從沒聽他說在忙些什麼，雖然兩人剛上大學，應該正是多采多姿的生活，但兩人都沒有參加社團，也不知道路揚到底在忙些什麼，說是打工卻又不像，哪有時間這麼不固定的打工呢？

就算疑惑，但路揚沒說，姜子牙從來就不問。

姜子牙剛把新書放到架上，立刻就聽見風鈴的聲音，這是老闆吊在門口上方的吊鐘花風鈴，一開門，風吹進來便有清脆的鈴聲，姜子牙覺得這比便利商店的「叮咚」來得好聽多了。

他從書架後方抬頭一看，叫了聲：「湘姨，早安。」

對方大約三、四十歲的模樣，穿著寬鬆的上衣和長裙，丁

香色的衣料上點綴著少許清蓮刺繡，頭髮用髮釵挽起來，古色古香，是名非常典雅的氣質女性。

當初，姜子牙第一次看見的時候，她正在和老闆說話，傅太一介紹這是陳湘，是他的友人時，姜子牙立刻很有自覺地叫了「湘姐」，對方笑得合不攏嘴，笑說「叫湘姨才對」。

服務業以客為尊，姜子牙立刻從善如流，立刻一口一個湘姨，讓對方塞來一個小香包當見面禮，他正尷尬地不知該怎麼婉拒，隨後老闆就說這是他認識一輩子的朋友，收下沒關係。

姜子牙默默地收下，只是很想問：老闆，你今年到底貴庚？

「早安，子牙，太一在嗎？」湘姨回打招呼。

姜子牙摸摸鼻子說：「他剛剛還在，但是跑了。」

聞言，湘姨好氣又好笑，說：「開書局也是他自己的主意，一天到晚跑掉到底算什麼事呀？還好有你在，不然書店早就被人搬空囉！」

姜子牙也只能笑笑回應。

陳湘興致勃勃的問：「新一期的雜誌來了嗎？」

姜子牙點點頭，說：「湘姨要的那兩本都給妳留在櫃台那邊了，沒有上架。」

「乖孩子。」陳湘心滿意足了。

「還有上次妳要我留意的小說，也出新一集了。」姜子牙乖巧的說：「也幫妳留在櫃檯那邊。」

陳湘一怔，「哪一本？」

聞言，姜子牙也不意外，對方看的書很多，想不起來也是

正常的。

「就是那本什麼英雄的……」

陳湘「喔」一聲，帶著複雜的口氣說：「那本倒是很有意思，裡面有幾個角色還挺有趣的，但就是有點兒太栩栩如生，看著讓人心情挺複雜的。」

姜子牙對小說也沒有多少了解，主要是忙著上學和打工，就算打工的地點是書店，許多小說都沒有密封，但他也沒有空去翻閱，空檔時間還得念書呢！

「栩栩如生不好嗎？」姜子牙有些不解，雖然對小說是不熟，但感覺上，小說人物栩栩如生應該是好事吧？

陳湘笑了一笑，說：「太過真實的角色，如果被當真，那可就不好了。」

「應該沒有人會把小說當真吧。」

姜子牙說完，卻見陳湘微微一笑，說：「對我們這些讀者來說，那些角色說不定比真人還真實，常常在路上看見類似的人，會心想搞不好就是他呢！」

聞言，姜子牙只覺得讀者這生物太神奇了，說好的情節虛構如有雷同純屬巧合呢？

「那麼，這些書都一起幫我結帳……抱歉。」說到一半，手機鈴聲卻響了起來，陳湘微笑道歉，從容地拿出手機一看，「咦，居然是太一呢？」

「老闆？」姜子牙一怔，「那叫他快回來顧店，今天周末，傅君可能會過來，看見他不在店裡，又會生氣了。」

幫老闆打掩護，雖然姜子牙做得很習慣，不過可以的話，

他還是不想對小學生說謊的……

陳湘笑笑地接起電話，一聽卻直接變了臉色。

姜子牙瞪大眼，看見優雅從容的湘姨提起裙襬，轉身朝店外跑出去，那速度快得簡直媲美百米賽跑選手。

「……」

姜子牙還呆愣沒來得反應過來的時候，陳湘卻又再次百米衝刺回來，不得不說，以這種快跑的動作來說，她還真是算跑得相當優雅。

「立刻關店，今天不做生意！」陳湘嚴厲地說：「你立刻回家去，今天乖乖待在家裡不許出門。」

「啊？」姜子牙搞不懂發生什麼事，莫非街上有恐怖攻擊嗎？他瞪大眼，問：「發生什麼事了？」

陳湘眉頭深皺，搖頭說：「與你無關，但這是太一的指示，你關店回家去就是。」

姜子牙躊躇了一下，也只能乖乖點頭應下，畢竟老闆曾經說陳湘是他認識一輩子的朋友，那應該可以相信吧？

如果陳湘真的騙他，書店一天沒開倒不是什麼大事，就算想趁機偷東西，書店也沒什麼好偷的，就算打開收銀檯也只有找零用的千餘元，如果老闆口中一輩子的朋友會為了一千塊說謊翻臉，姜子牙會叫他好好檢討自己。

「知道了，我馬上收店。」

陳湘放柔神色，再次不放心叮囑：「別出門，相信湘姨，外頭不太平靜。」

姜子牙點點頭，這才想起來，連忙問：「老闆沒事吧？」

陳湘的神色複雜，讓姜子牙有些看不懂那是什麼樣的表情，皺著眉略像擔憂，但卻帶著點氣憤的神態。

「沒事，誰出事都輪不到他。」

姜子牙覺得這話有點奇怪，老闆沒出事的話，剛剛陳湘跑那麼快是為了什麼？

「是親愛的……是我的丈夫。」陳湘輕皺眉頭，「我慌了，一時失態，真是抱歉。」

姜子牙連忙安慰道：「關心則亂，湘姨和老公的感情一定很好。」

湘姨微微一笑，表情溫婉得讓姜子牙都看呆了，她輕聲勸：「你回家去吧，我也該過去看看狀況了。」

姜子牙如言照做，目送陳湘離開後，收拾收拾就把書店關了，決定回家溫書，一定要把這學期的獎學金拿下來。
回家的路上，就連路邊小吃店的懸掛電視都在插播新聞：
「中巷市驚現炸彈客！請各位民眾暫時不要靠近執靈路周遭路段，以免遭受波及。」
姜子牙傻眼了。
哇操，他家老闆不是被炸到了吧？

你為什麼要打電話給湘湘？
不過是一點小傷罷了。
你又不是不知道湘湘對我的事最是大驚小怪，何必捅這個馬蜂窩？
湘湘、親愛的，還真只有你們這對夫妻才叫得出口。
都一把年紀了還這麼肉麻，真是讓人受不了。

怎麼太一你忌妒嗎？那還不快去給小君找個媽。
誰忌妒了？
若不是你有命定之妻，
看你上哪去找這麼個親密無間的老婆。
根本不用煩惱如何跟她解釋清楚我們『這種人』到底是怎麼回事。
你找個道上人試試看？

就知道你不滿我很久了，居然建議我找個道上人當老婆。
是想哪天讓我直接被人收了是吧？
呵
誰能收得了你這傢伙，倒也是大功一件。
如今這世道，要傷我也沒那麼難。
踏…
像是剛剛那些傢伙就不簡單，
居然能傷得了你。
…是我大意了，
否則他傷不到我。
你大意了…

以往…
我們豈會在乎那一丁點的大意？
哪怕全然不去注意，
又有誰能傷我們？
…你說的『以往』實在太久遠了，
以後少說這種話吧！
我們也不是每個人都像你傳承得那麼完整，記憶得那麼清楚。
每次聽你這麼說總不是滋味。
我倒也罷了，懶得在意這種事。
但有幾個人可不是那麼服你。

我若不提，叫傳承得更完整的司命該如何？
司命…
司命的能力確實強大且稀罕，不過要付出的代價太沉重。
完全失去人形——
連人生都不能好好地過。
我寧願不要能力，
……
只要能和老婆好好過活就好…
來了。

什麼？湘湘這麼快就到了？她該不會又過量使用能力吧？
這很傷身啊！
……我是說目標來了。
何止陳湘緊張，我看你更緊張老婆。
別擔心了，我讓她去叫子牙關店回家。
這一個耽擱，她應該已經冷靜下來，不會做傻事的。
喔…
你架界的能力還是這麼強。
那些傢伙完全沒發現已經踏進界了
八成還以為自己藏得很好。
轉頭
——這條「執靈路」，

都是太一施法……
製造出來的幻象。
我可是東皇太一九歌的領袖。

你先讓冷雲叫你一聲首領再說吧。
那真不關我的事，他是小君的命定搭檔。
但他們就處得很差，難道我能強迫他們當好朋友嗎？
這可真怪不了冷雲。
聽見自己的搭檔是個小學生，是我也得翻臉啊⋯
⋯不對！
冷雲知情的時候，小君還是個小娃娃。
這必須翻臉！
攥緊
我也知道年齡差距太遠，這兩人要成為搭檔的難度很高⋯
⋯但卻又莫可奈何，誰叫東君的傳承出了問題呢？
本來該是哥哥，可是我到得太晚，兄長死了，只剩下弟弟。
我沒有別的選擇。

——他本該
成為我的東君……！

可恨的道上人！
我以為自己的九歌注定殘缺
嗚…嗚…嗚…
但是…
嗚…
哥哥…你在哪裡…
我聽見了他的聲音。

失去了哥哥，卻發現弟弟。
但傳承卻真的接受替代的人選。
所以我又有了東君。
雖然傳承出了點問題，東君似乎不太成熟，
但是我還是滿足了。

太一？
你說什麼？
沒事。
快去解決目標吧；
現在的道上人真是越來越亂來。
當眾用幻妖迷惑父母搶走特殊孩子的事情都敢做！
我報警用的炸彈客說法瞞不了多久，
等這條路的人潮多起來，這裡的界就維持不住了。

咻

咻

行。

三分鐘就解決！

三日月書版

GOBOOKS & SITAK GROUP©